*Dat pikken wij niet!*

*Klipper* is een serie boeken met een lager AVI-niveau dan voor de leeftijdsgroep gebruikelijk is. De boeken zijn verdeeld in drie categorieën.
De *Klipper*-boeken zijn ook op cd verkrijgbaar.
*Klipper Plus* bevat begeleidend materiaal per boek.

ISBN 90 392 5472 9
NUGI 140/220

Omslagontwerp: Robert Vulkers
Omslag en overige illustraties: Roel Ottow
AVI 5
Brus 30-40

# *Dat pikken wij niet!*

*Vrouwke Klapwijk*

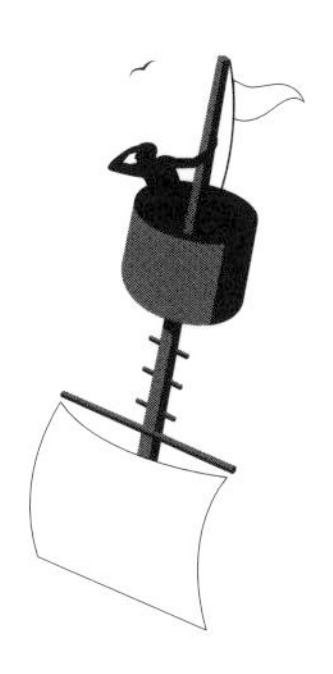

# Dit boek gaat over:

# 1. Wat heb je aan zo'n vriend?

'Voetballen?' roept Twan.
Twan bonkt met zijn fiets tegen de stoep. Net voor een glasbak blijft hij staan. Boven op die glasbak zit Lex.
Lex is de vriend van Twan. Maar Lex zit niet alleen op de glasbak. Er zit iemand naast Lex. Iemand met een grote zak chips in zijn hand. Dat is Niels.
Niels zit in de hoogste groep en hij heeft een heel grote mond.
Twan vindt Niels niet aardig.
Hij denkt altijd, dat hij de beste is.
De beste met voetballen. De beste in het doel.
De beste met koppen. Niels denkt ook altijd, dat hij alles durft.
Nee, Niels is zijn vriend niet. Maar één ding is zeker... Niels is de beste in schreeuwen en schelden.

'Hé, schele, kun je niet uitkijken!'
Niels trapt met zijn been naar Twan. Hij probeert de voetbal van Twan te raken. Het is een mooie, grote bal. Je kunt er prima mee trappen. Twan heeft hem vorige week zelf gekocht. Van het geld

dat hij voor zijn verjaardag heeft gekregen.
Niels trapt nog een keer naar Twan. Maar Twan ziet het aankomen. Hij kan zijn handen net op tijd wegtrekken. Dat vindt Niels niet leuk. Hij kijkt Twan kwaad aan.
'Wat doe jij hier? Schele ventjes hebben we niet nodig...' Niels lacht hard om zijn eigen opmerking.
Opeens steekt Niels zijn zak chips naar voren.
'Ook een chippie?' vraagt hij. 'Hebben we samen eerlijk gekocht, nietwaar Lexje?' zegt Niels tegen Lex en hij geeft Lex een knipoog.
Twan kijkt Niels argwanend aan. Waarom doet Niels plotseling zo gul?
'Wacht maar, ik geef je wel wat', zegt Niels en hij doet een greep in de zak. 'Houd je hand maar op.'
Twan steekt zijn hand aarzelend naar voren. Niels houdt een handvol chips boven Twans hand. Maar dan...

'Kun je niet uitkijken! Kijk eens wat je doet!' schreeuwt Niels. Hij wijst naar de grond.
Daar liggen de chips.
Twan kijkt Niels boos aan. Dat is niet eerlijk.
Niels liet die chips expres op de grond vallen.
'Zie je wel dat je scheel bent', schreeuwt Niels nog een keer.
Dan geeft hij Lex, die nog steeds naast hem op de

glasbak zit, een stomp. 'Wat heb je nou aan zo'n schele vriend?'
Maar Lex neemt het voor Twan op. Hij heeft ook wel gezien dat Niels gemeen deed. Hij zegt: 'Twan is niet...'
'Scheel?' roept Niels er gelijk door heen. Hij zet zijn vingers bij de uiteinden van zijn ogen en trekt ze langzaam omhoog. De ogen van Niels worden smalle spleetjes.
'Kijk zo!' zegt hij. 'Net een Chinees!'
Niels draait zijn hoofd om naar Lex. En opeens moet Lex lachen. Het is ook zo'n gek gezicht.
Maar Twan lacht niet. Hij draait zijn fiets om en sjeest weg. Nou lacht Lex hem ook al uit! En hij dacht nog wel dat Lex zijn vriend was.
Mooie vriend!

## 2. Bemoei je met je eigen zaken!

Op de hoek van de straat blijft Twan staan. Hij kijkt achterom. Lex zit boven op de glasbak. Niels heeft zijn arm om Lex heen geslagen.
Twan zucht. Waarom laat Lex hem nu in de steek? Twan kijkt naar de bal in zijn handen. Als Lex niet mee wil doen, dan gaat hij wel alleen spelen.

De glasbak staat bij een winkel. Naast die winkel is een groot veld. Het is geen mooi veld. Er zijn veel kuilen en hobbels. Maar in een hoek van het veld kun je goed voetballen. Daar is de grond mooi vlak. Twan gooit zijn fiets op de grond. Het is stil op het veld. Hij dribbelt wat heen en weer met zijn bal. Maar zo is er geen lol aan. Voetballen doe je niet alleen, dat doe je met elkaar.
Af en toe kijkt Twan even op. Lex zit nog steeds op de glasbak. Hij heeft het daar best naar zijn zin. Zijn lach klinkt soms hard over het veld.
Opeens is Lex verdwenen. Waar zou hij zijn? Twan kijkt om zich heen. Ja, daar! Lex loopt de winkel in. Zou hij nog meer chips gaan kopen?
Twan kijkt naar de glasbak. Niels zit er nog boven op.

Dan bedenkt Twan zich niet langer. Hij klemt de voetbal onder zijn arm en loopt de winkel in.
Hij wil weten waarom Lex zo raar tegen hem deed.
Hij wil weten of Lex zijn vriend nog is.

Twan loopt een winkelpad in. Daar liggen de zakken chips. Maar daar is Lex niet te zien.
Twan duikt een ander winkelpad in. Daar is Lex ook niet. Waar zou hij dan zijn?
Langzaam loopt Twan terug naar de uitgang.
Hé, is dat Lex niet? Daar, bij het snoep...
'Lex... Lex, hoor eens!' roept Twan.
Lex kijkt op. Hij schrikt.
Twan ziet nog net dat Lex wat in zijn zak laat glijden.

'Lex, waarom ga je niet met me voetballen?
Dan gaan we doeltrappen. Mag jij de keeper zijn',
zegt Twan.
Maar wat doet Lex vreemd. Zijn gezicht wordt
vuurrood en hij geeft Twan een stomp.
'Schiet op, man. Bemoei je met je eigen zaken.
Waarom loop je me achterna? Ik ben nu met Niels',
snauwt hij. Lex stopt zijn handen in zijn jaszak en
loopt met grote stappen de winkel uit.

Twan kijkt hem verbaasd na. Wat is er met Lex aan de hand? Waarom snauwt hij tegen hem?
En waarom loopt hij zomaar weg?
Opeens bukt Twan zich. Op de grond ligt een rol drop. Twan pakt de rol op. 'Dropvol' staat er op de rol. Dat is lekkere drop. Twan wil de rol drop terugleggen in het schap.
Maar wat is dat? Daar ligt een open pak drop! Er zijn twee rollen uit. Twan heeft een rol in zijn hand. Waar is de andere rol?

## 3. Ik heb die rol niet gepikt!

'Zo, jongeman. Kom jij maar even met mij mee.'
Twan voelt een hand op zijn schouder. Hij draait zich verschrikt om. Achter hem staat een man.
Hij heeft een kaartje op zijn jas.
Johan Klein staat er op dat kaartje. Bedrijfsleider.
Twan rukt zich los. Hij gooit de rol drop op de grond en wil hard wegrennen. Maar de man is hem te snel af. Hij pakt Twan stevig bij zijn bovenarm en samen lopen ze de winkel door.
De man trekt een deur open en duwt Twan een kamertje in. Daar staan een tafel en een paar stoelen. De man doet de deur achter zich dicht.
Twan zit gevangen.

'Ga daar zitten', zegt de man. Hij wijst naar één van de stoelen.
'Ik ben Johan Klein, de baas van deze winkel. Hoe heet jij?' vraagt de man rustig. Twan gaat op één van de stoelen zitten. Hij durft de man niet aan te kijken.
'Komt er nog wat van? Wat is je naam?' vraagt de man nog een keer.
'Twan...' fluistert Twan.

‘Goed, Twan. Had jij geen geld meer voor een rol drop?’ De man legt de rol drop op tafel neer.
Twan kijkt naar de rol. Hij begrijpt er niets van.
Zou die man denken dat hij... dat hij...
‘Ik heb die rol niet gepikt’, zegt Twan opeens fel.
Hij kijkt de man recht aan.
‘Die rol lag op de grond. Ik wilde hem terugleggen.’
De man lacht zachtjes. ‘Ja, dat zeggen ze allemaal.
En waar is die andere rol?’

Twan gaat staan. Hij is boos. Waarom gelooft die man hem niet?
'Echt waar! Ik heb die rol niet gepikt! Hij lag echt op de grond!' zegt hij bijna huilend.
'Hier...' zegt hij vlug en hij trekt zijn zakken naar buiten. 'Voel maar. Ik heb echt geen rol drop.'
De man gaat ook staan. Hij voelt in de jaszakken van Twan. Hij haalt er van alles uit. Een stuk touw, een snoeppapiertje, een dubbeltje... maar geen rol drop.
Hij voelt ook in de broekzakken van Twan.
En in de muts van zijn jas. En in de mouwen van zijn jas.

Eindelijk gaat de man weer zitten. Hij kijkt Twan doordringend aan.
'Je hebt inderdaad niets. Ik moet je wel geloven', zegt hij. Dan pakt de man de rol drop van de tafel.
'Heb jij misschien iets gezien...? Iemand die ook bij het snoep stond?' zegt hij vragend.
Twan schudt zijn hoofd. Maar voor zijn ogen verschijnt een beeld. Van Lex!
Lex stond bij het snoep! En Lex liet wat in zijn zak glijden! Zou Lex...?
De man gaat staan. Hij geeft Twan een hand.
'Het spijt me dat ik fout geweest ben. En als je misschien toch nog iets weet, kom dan gerust terug.

Maar denk erom, als ik je hier ooit betrap, bel ik de politie!'
Hij doet de deur open. En even later staat Twan buiten.
Niels en Lex zitten nog steeds op de glasbak.
Niels steekt zijn hand uit. 'Ook een droppie, Twan?'

# 4. Waar is de rol drop?

De volgende morgen is Twan al vroeg op school.
Hij wil voor schooltijd eerst wat aan Lex vragen.
Over de rol drop. Maar het duurt heel lang voordat
Lex er is. Zou hij ziek zijn?
Als de bel gaat, is Lex er nog niet. Twan gaat naar
binnen. Bij de deur blijft hij aarzelend staan.
Hij draait zich nog een keer om. Op dat moment
komt Lex het schoolplein opstuiven. Hij smijt zijn
fiets in het fietsenhok en stormt de school in.
Als hij voorbij Twan schiet, trekt Twan hem aan
zijn mouw.
'Lex, luister eens...', zegt hij zacht.

Lex kijkt Twan aan. Hij rukt zich los.
'Blijf van me af, man. Straks ben ik te laat',
snauwt hij.
Lex gooit zijn jas over de kapstok en ploft op zijn plaats in de klas neer. Gelukkig, hij is net op tijd.
Twan loopt achter Lex aan. Hij begrijpt er echt niets van.
Wat is er toch met zijn vriend aan de hand?

Tijdens de les kan Twan niet goed opletten.
De meester moet wel drie keer iets uitleggen, voordat Twan het snapt. Hij ziet telkens de rug van Lex voor zich.
Een paar dagen geleden, toen Lex nog gewoon zijn vriend was, keek Lex tijdens de les wel tien keer achterom. Dan vroeg hij iets aan Twan of hij zei iets leuks. Ze hadden vaak veel lol in de klas.
Maar vandaag niet. Lex kijkt recht voor zich uit.
Dan gaat de meester de klas even uit.
'Hé, Lex, luister nou even', zegt Twan. Hij geeft Lex een duw in zijn rug.

Lex draait zich langzaam om.
'Waarom was jij... Waar is... waar is die rol drop?' stottert Twan.
Lex schrikt. Twan ziet het aan zijn gezicht.
Het gezicht van Lex wordt helemaal rood.
'Man, bemoei je toch met je eigen zaken. Ik heb helemaal geen drop', roept Lex en hij geeft Twan een stomp. Dan draait Lex zich vlug om en gaat verder met zijn werk.
Twan wrijft over zijn arm. Waarom stompt Lex hem? Zou het dan toch niet waar zijn? Maar wat heeft Lex dan wel in zijn zak gestopt?

In het speelkwartier hangt Twan bij het hek rond.
Lex staat bij een groepje jongens uit de hoogste groep. Niels is er ook bij. Hij heeft het hoogste woord. Je hoort hem boven alles uit.
En kijk nou eens! Niels slaat zijn arm weer om Lex heen. Net als toen op die glasbak. Zou iedereen nu denken dat Lex de vriend van Niels is?
Trrrrrr... daar gaat de bel. Twan schuifelt met de groep naar binnen. Opeens voelt hij een arm om zijn nek.
'Denk erom dat je niets zegt! Anders gebeurt er wat', sist een stem dicht bij zijn oor.
Twan verstijft van schrik.
Wie heeft dat gezegd?

# 5. Alles vergeten?

Twan draait zijn hoofd met een ruk om.
Achter hem duwen en trekken een paar jongens uit een andere groep. Maar niemand heeft aandacht voor Twan. Twan wrijft over zijn nek.
Het is net of hij die arm nog voelt.
Twan kijkt nog een keer achterom. Wie was het?
Lex...? Nee, die zit allang in de klas. Was het dan...
Niels? Nee, dat kan ook niet. De groep van Niels staat nog op het plein. Maar wie was het dan wel?

Na schooltijd slentert Twan langzaam naar huis.
Hij heeft geen zin om te spelen. Het ging vandaag op school helemaal mis. De meester moest hem wel drie keer waarschuwen.
'Bij de vierde keer is het strafwerk, heer Twan', had de meester dreigend gezegd. Twan had zijn aandacht er gewoon niet bij.
Het is zo moeilijk! Wat moet hij doen? Stelen mag niet, maar... je vriend verklikken, doe je ook niet.
'Hé, Twannetje, voetballen? Om vier uur bij de glasbak.'
Twan voelt een harde klap op zijn schouder.
Lex schiet hem op zijn fiets voorbij. Niels zit bij Lex

achterop. Achterstevoren. Hij zwaait uitbundig naar Twan.
Twan kijkt de jongens verbaasd na. Willen ze nu opeens wel voetballen? En vanmorgen dan? Toen deden ze net of ze hem niet kenden.
Zouden ze alles vergeten zijn?
Nou, hij wil wel meedoen. Dat is in ieder geval beter dan alleen thuis zitten.

Het is nog geen vier uur als Twan bij de glasbak staat. Hij heeft zijn nieuwe voetbal meegenomen. Twan schopt wat met zijn bal tegen de glasbak. Maar dat valt niet bij iedereen in de smaak.
'Kun je niet ergens anders voetballen?' moppert een oude man. 'Dat geschop tegen die glasbak maakt zo'n herrie. Waarom ga je niet op dat veld spelen? Daar is ruimte genoeg. Hier loop je iedereen in de weg.'
Al mopperend gooit de man zijn flessen in de bak. 'Die jeugd van tegenwoordig. Ze doen maar waar ze zelf zin in hebben...' Dan loopt hij sloffend de winkel in.
Twan pakt zijn bal op. Hij loopt langzaam in de richting van het veld. Waar blijven Lex en Niels? Opeens hoort hij een hoop lawaai achter zich. Lex en Niels en nog meer jongens uit de buurt stuiven de hoek om.
'Ik wil in het doel', roept Niels. 'Ik ben de beste keeper van de hele wereld.' Hij grijpt de bal uit Twans handen en schopt hem omhoog. Even later is het spel in volle gang.
Twan denkt niet meer aan wat er gebeurd is. Het is vast allemaal een vergissing geweest.

# 6. Heb je daar een bonnetje van?

'Ik heb dorst', roept Niels. Hij trekt zijn trui uit.
'Wie gaat er mee drinken halen?'
Twan kijkt Niels aan. Hij moet opeens weer aan gisteren denken. Zou Niels...?
Niels steekt zijn hand in zijn broekzak. Hij haalt er een vijfguldenmunt uit. 'Van mijn moeder gekregen. Wie wil er een blikkie?'
De jongens hollen de winkel binnen. Bij het rek met de blikjes schreeuwen ze allemaal door elkaar. De een wil cola, de ander sinas en weer een ander wil liever 7-up. Maar vanuit een ander winkelpad worden ze in de gaten gehouden. Door de baas van de winkel. Door Johan Klein.
Als ze naar de kassa gaan, loopt Johan achter hen aan. Hij schiet voorbij een lege kassa en gaat bij de deur staan.

'Wacht even', roept Niels. 'Ik ben nog wat vergeten.' Hij rent terug en even later staat hij weer bij zijn vrienden. Niels gaat dicht bij Twan staan en hij slaat een arm om Twan heen. Net of hij en Twan vrienden zijn.
'Dat is vier gulden zestig', zegt het meisje achter de

kassa. Niels betaalt en de jongens lopen naar de uitgang. En dan gebeurt het...
Niels doet ineens een greep in de jaszak van Twan. En vlak voor de ogen van Johan Klein haalt hij iets tevoorschijn. Vier rollen drop. Dezelfde als gisteren.
'Ohhh... Twannetje, heb jij daar een bonnetje van?' roept Niels.

Twan kijkt Niels geschrokken aan. Zijn gezicht wordt helemaal rood. 'Een bonnetje?'
'Ja, een bonnetje. Dat je betaald hebt, joh!'
Niels zwaait zijn eigen bonnetje voor het gezicht van Twan heen en weer. Het gezicht van Twan wordt nog roder.
'Ohh...', roept Niels geschrokken. ' Twan weet niet dat hij voor die drop moet betalen. Twannetje, heb jij ze gepikt? Maar dat doen we toch niet?'
Niels houdt de rollen drop grijnzend boven zijn hoofd. Dan loopt hij naar Johan Klein, de baas van de winkel. 'Meneer, Twan heeft niet betaald. Hij pikt!' zegt Niels tegen Johan Klein.
En dan geeft Niels de rollen drop aan Johan.

De jongens rond Twan zijn stil. Ze kijken Twan aan. Neemt Twan zomaar snoep mee? Zonder te betalen? Dat hadden ze nooit van hem gedacht. Twan kijkt Niels donker aan. Hij is woedend. Daarom kwam Niels net zo dicht tegen hem aan staan. Hij heeft die drop toen stiekem in zijn jaszak laten glijden. Wat gemeen!

Johan Klein heeft alles gezien. Hij heeft ook de schrik op het gezicht van Twan gezien. En de grijns op het gezicht van die andere jongen. Hier klopt iets niet. Maar hoe lost hij dit op?

Eén ding is zeker, hij wil de jongens niet allemaal mee naar binnen hebben.
Johan pakt Twan bij zijn arm. 'Zo jongetje, jij gaat met mij mee', zegt hij streng. 'Dit is nu al de tweede keer. Ik ga de politie bellen!'
En voordat Twan beseft wat er gebeurt, duwt Johan hem bij de andere jongens vandaan.
'En jullie gaan naar huis. Laat ik jullie hier niet meer zien.'

# 7. Voor de tweede keer

‘Zo, ga daar maar zitten.’
Johan wijst naar een stoel. Op die stoel heeft Twan gisteren ook gezeten.
Maar Twan blijft staan. Hij steekt zijn handen in zijn zakken en kijkt naar de grond. Johan loop wat heen en weer in het kamertje. Hij heeft de rollen drop op een tafel neergelegd. Hoe zal hij beginnen? Hier zit meer achter, dat weet hij zeker.
‘Twan... is het niet? Wat is er gebeurd?’
Twan draait zich om naar de muur. Hij wil niet met Johan praten.
‘Twan, als jij niets zegt, bel ik echt de politie. Ik wil weten hoe het gegaan is’, zegt Johan opnieuw.
Twan doet een stapje dichter naar de muur toe. Zat er maar een gat in die muur. Dan sprong hij er zo door heen. Weg, uit dit nare kamertje.

‘Oké, dan moet je het zelf maar weten’, bromt Johan. Twan hoort dat Johan achter zijn bureau gaat zitten. Hij hoort dat Johan de hoorn van het telefoontoestel pakt. Hij toetst een nummer in. Gaat Johan de politie bellen? Maar dat wil hij niet! Hij draait zich vlug om en hakkelt: ‘Ik heb die drop

niet gepakt... Die rollen zaten opeens in mijn jaszak... Ik weet niet wie het gedaan heeft... echt niet!'
Johan legt de hoorn neer. Hij kijkt Twan doordringend aan.
'Die grote jongen, heb je daar ruzie mee?' vraagt hij.
Twan kijkt weer naar de grond. Hij schudt zijn hoofd. Hij durft Johan niet aan te kijken.
Johan zucht. Als Twan niet wil praten, kan hij ook niets doen. Het personeel van de winkel houdt die grote jongen al een poosje in de gaten. Ze denken dat hij regelmatig iets wegpakt.

‘Hoe heet die grote jongen?’
‘Niels’, fluistert Twan.
Aha, dat is dus de naam. Nu zijn ze al een stapje verder.
‘Die Niels, wat is dat voor een figuur?’ vraagt Johan.
Twan haalt zijn schouders op. Wat moet hij over Niels zeggen? Dat hij altijd een grote mond heeft... dat hij altijd schreeuwt... dat hij hem uitscheldt voor ‘schele’?
Nee, daar heeft Johan niets mee te maken.

Het blijft een poosje stil. Johan staat op en loopt naar Twan. Hij gaat vlak voor hem staan.
'Kijk me aan', commandeert hij.
Langzaam gaat het hoofd van Twan omhoog. Hij kijkt in een paar heel boze ogen.

'Twan, je bent hier nu voor de tweede keer. De eerste keer zei je, dat je geen drop had gepikt. En nu wil je helemaal niets zeggen. Ik geef je nog één kans. Als ik je weer betrap, ben je nog niet klaar met me. Begrepen?'
Twan knikt.
Johan is kwaad. Dat kun je goed zien. Maar hoe moet hij dit oplossen?

Buiten is het stil. De jongens zijn weg. Maar waar is zijn bal? Zouden ze zijn nieuwe bal in de struiken getrapt hebben? Twan kijkt zoekend om zich heen. Opeens hoort hij een stem achter zich.
'Twan... hier is je bal.'
Dat is Lex! Lex heeft op hem gewacht! Is Lex dan toch nog zijn vriend?

SUPER

# 8. Niels verkoopt snoep

De volgende morgen lopen Twan en Lex samen op het schoolplein. Het is weer goed tussen hen. Lex vond het niet leuk meer om met Niels te spelen.
'Niels wil altijd de baas zijn', zegt hij. 'Als ik iets bedacht had, was het nooit goed. En hij is ook niet eerlijk.' Lex keek Twan even aan.
'Weet je wat Niels zei, toen jij bij de bedrijfsleider in dat kamertje zat?'
Twan schudt zijn hoofd. Hij weet het niet, maar hij heeft wel een vermoeden.
'Ziezo, die houdt voorlopig zijn mond. Moet hij ons maar niet begluren. En toen lachte Niels zo gemeen. Ik dacht ineens... zou hij die drop bij Twan in zijn zak hebben laten glijden?'
Twan kijkt voor zich uit. Dus toch! Lex heeft hetzelfde gedacht als hij. Wat gemeen van Niels om Twan op deze manier te pakken te nemen.

Ze slenteren samen verder. In een hoek van het plein staat Niels. Er staat een groep jongens en meisjes om hem heen. Opeens komt één van de jongens naar hen toe.
'Hebben jullie geld bij je? Niels verkoopt snoep.

Twee rollen voor een gulden. Spotgoedkoop, man.
Dat moet je doen.'
Lex en Twan kijken elkaar aan. Niels verkoopt
snoep? Hoe komt hij daaraan?
De jongen wil weer weglopen, maar Twan kan hem
nog net aan zijn mouw vastgrijpen. 'Waar heeft
Niels dat snoep vandaan?' vraagt hij.

De jongen haalt zijn schouders op. 'Oh, dat weet ik niet. Ik geloof dat hij een doos langs de weg gevonden heeft.'
Langs de weg gevonden? Kom nou, vast niet!
Lex loopt een klein stukje bij Twan vandaan. Hij gaat bij het hek staan. Opeens draait hij zich om. Hij kijkt Twan recht aan.
'Twan... ik heb die rol wel gepikt. Toen ik samen met Niels op die glasbak zat', zegt hij zacht. 'Ik moest het doen, anders was Niels mijn vriend niet meer. En ik heb het gedaan... maar ik vond het helemaal niet leuk.'
Lex kijkt naar het groepje kinderen rond Niels.
'Hij stookte me op', zegt Lex fel. 'Niels zei, dat hij zelf ook vaak wat wegpikte. Dat niemand het zou merken. Maar jij hebt het wel gemerkt...'

Twan weet even niets te zeggen.
Opeens trekt hij Lex aan zijn arm.
'Weet je wat we doen?' zegt hij opgewonden.
'We houden Niels in de gaten. Als we zien dat hij iets wegpikt, zeggen we het tegen Johan Klein.'
Lex fronst zijn voorhoofd.
'Is dat niet klikken?' vraagt hij bezorgd.
'Nee, joh. Johan heeft het zelf gezegd. Als ik iets weet, moet ik bij hem komen. En vergeet niet wat hij bij mij heeft gedaan. Wanneer we hem

snappen, is het zijn eigen schuld', ratelt Twan door. 'Na schooltijd gaan we voetballen op het veld. Dan kunnen we de ingang van de winkel goed in de gaten houden.'
'Maar als Niels erachter komt dat wij geklikt hebben', aarzelt Lex nog steeds.
'Daar komt Niels niet achter. Daar zorgt Johan Klein wel voor', antwoordt Twan resoluut. 'Doen?'
'Goed', zucht Lex. 'Als je maar niet denkt dat ik daar uren ga voetballen. Misschien pikt Niels wel nooit meer.'

# 9. Wat een lef!

'Zie je nou wel. Ik heb het gezegd', moppert Lex. 'Dat joch komt hier niet. Misschien heeft hij die rollen drop echt gevonden.'
Hij trapt tegen de bal. Het is koud en het regent een beetje.
'Nog een kwartiertje', zegt Twan. 'Dan gaan we naar huis.'
Hij snapt er niets van. Dit is nu al de tweede middag dat ze hier zijn. Maar van Niels is geen spoor te ontdekken. Waar zou hij zijn?
Twan duikt wat dieper in zijn jas. Hij kijkt weer naar de ingang van de winkel. Opeens geeft hij Lex een stomp. 'Daar... daar heb je hem!' sist Twan en hij duikt in elkaar.
Lex houdt meteen op met voetballen. Ze sluipen samen naar de struiken die vlak voor de winkel staan. Ja, daar is Niels. Hij zet zijn fiets tegen een paal. Vlak voor de ingang.
'Erachteraan', fluistert Twan. 'Pas op dat hij ons niet ziet.'

Niels loopt de winkel in. Twan en Lex volgen hem. Ze kijken voorzichtig om een hoekje van de deur.

Waar gaat Niels heen? Naar het snoep? Nee, Niels loopt naar de koeling. Hij grijpt een pak melk en loopt fluitend naar de kassa. Twan en Lex kijken elkaar teleurgesteld aan. Niels moet boodschappen doen. Hebben ze daar twee middagen voor gewacht?
'Hé, kijk!' fluistert Lex.
Vlak voor de kassa duikt Niels een ander winkelpad in. Moet hij nog meer boodschappen doen?
Twan en Lex rennen de winkel door. Ze moeten zorgen dat ze Niels niet uit het oog verliezen.

Voor het winkelpad blijven ze staan. Ze gluren langs de pakken zakdoeken en de rollen wc-papier. Ja, daar is hij! Bij het snoep!
Niels drentelt wat heen en weer. Af en toe pakt hij een paar rollen. Maar hij legt ze ook weer terug. Opeens kijkt hij om zich heen en dan... met een snelle beweging propt hij een paar rollen drop in de mouw van zijn jas. En nog een keer! In zijn andere mouw! En alsof er niets gebeurd is, loopt Niels weer fluitend naar de kassa.
Wat een lef! Twan en Lex kijken elkaar vragend aan. Wat nu?

'Kom mee, we gaan naar Johan Klein. De bedrijfsleider', zegt Twan. 'We hebben het met onze eigen ogen gezien.'
Hij draait zich om. Lex volgt aarzelend. Hij is nog steeds een beetje bang. Zijn ze echt niet aan het klikken?
Ze lopen zoekend de winkel door. Maar Johan Klein is nergens te vinden.
'Waar is de bedrijfsleider toch', bromt Twan.
'Niels is al bijna aan de beurt. Straks glipt hij weg. Dat zou een mooie boel zijn.'
Ja... waar is Johan Klein?

# 10. Gepakt!

‘Dat is één gulden vijftig’, zegt het meisje achter de kassa.
Niels geeft het geld en loopt naar de uitgang.
En dan gaat alles heel snel.
Van achter een hoge kast komt Johan Klein opeens tevoorschijn. Hij gaat voor Niels staan en houdt hem tegen. Dan draait hij zich om.
‘Is deze jongen het, mevrouw?’ vraagt hij.

Van achter de hoge kast komt een mevrouw tevoorschijn. Ze knikt.
'Ja, hij is het. Ik zag dat hij wat rollen snoep in zijn mouwen stopte.'
Johan Klein pakt Niels bij zijn arm.
'Zo jongetje. Nu hebben we je eindelijk te pakken. Ga jij maar eens even met mij mee.'

Het gezicht van Niels is spierwit geworden.
Hij trekt en rukt en schreeuwt.
'Ik heb niets gedaan! Ik heb niets gedaan!'
Maar daar kijkt Johan niet van op.
'Vertel dat straks maar aan de politie', zegt hij streng.

Twan en Lex staan met open mond te kijken.
Wat gebeurt daar allemaal?
Niels wordt betrapt op diefstal... en niet door hen.
Zou die mevrouw alles ook gezien hebben?
Stilletjes sluipen ze de winkel uit. Ze klimmen samen op de glasbak. Het regent niet meer.
Na vijf minuten stopt er een politiewagen voor de winkel. Er stappen twee agenten uit.
'Wat zouden ze met Niels doen?' vraagt Lex zacht aan Twan.
Twan haalt zijn schouders op. Hij vond het eerst een goed plan. Maar nu weet hij het niet meer.
'Zou hij de gevangenis in moeten?' vraagt Lex.
Hij denkt aan zijn eigen rol drop. Hij heeft ook iets gepikt. Twan haalt weer zijn schouders op.
Een paar minuten later stopt er nog een auto voor de winkel. Er stapt een vrouw uit. Het is de moeder van Niels. Ze gooit de autodeur met een klap dicht.
Wat is ze boos!

Twan en Lex blijven samen op de glasbak zitten.
Ze zeggen niet veel. Ze denken alleen aan Niels.
Na een half uur komt er een groepje mensen naar buiten. Het zijn de twee agenten en Johan Klein.
Niels en zijn moeder volgen langzaam.
Bij de politiewagen blijven ze staan. Ze praten met elkaar.

SUPERMA

Twan en Lex kunnen maar stukken van het gesprek verstaan.
'Twee keer een woensdagmiddag... ja, van twee tot zes uur... nee, vegen en opruimen en dozen scheuren... nee, hij krijgt er niet voor betaald...'
Dan duwt de moeder van Niels haar zoon de auto in. Ze geeft de agenten een hand en rijdt weg.
Even later is de politiewagen ook verdwenen.
Twan en Lex kijken elkaar opgelucht aan.
Gelukkig, Niels hoeft niet naar de gevangenis.
Johan Klein wil de winkel weer inlopen. Maar dan ziet hij de beide jongens. Hij loopt naar de glasbak.
Wat wil Johan van Twan en Lex?

# 11. Dat pikken we niet!

'Zo jongens, schuif eens een eindje op.'
Johan Klein staat voor de glasbak. Hij kijkt Twan en Lex aan. 'Ik wil er graag even bij komen zitten.'
Johan klimt op de glasbak en gaat tussen Twan en Lex zitten.
De beide jongens lachen wat verlegen naar Johan.
Ze weten niet goed wat ze moeten zeggen. Waarom komt Johan bij hen zitten?

Opeens steekt Johan zijn hand uit naar Twan.
'Het spijt me dat ik zo rot tegen je gedaan heb. Maar het moest wel. Ik wist niet zeker of ik je geloven kon.'
Twan pakt aarzelend de hand van Johan. Hij voelt de stevige handdruk. Dat geeft hem een fijn gevoel. Johan is niet boos op hem. Toch is hij nog niet helemaal gerustgesteld. 'Wat... wat gebeurt er met Niels?' vraagt hij aarzelend.
'Tja', zegt Johan. 'Die mevrouw had gezien dat hij die rollen drop in zijn mouw stopte. Gelukkig is ze direct naar ons gekomen. Zo konden wij hem in zijn kraag pakken, voordat hij de winkel uitging.'

Twan en Lex kijken elkaar aan. Ze zien weer het geschrokken gezicht van Niels voor zich. En het is net of ze zijn schelle stem weer horen.
'Toen de politieagenten kwamen, heeft hij alles verteld. Dat hij wel vaker snoep uit de winkel pakte. En dat hij ook wel eens vriendjes naar binnen stuurde om te pikken.'
Lex schrikt, hij krijgt een vuurrode kleur. Zou Niels zijn naam ook genoemd hebben?

'Maar dat pikken we niet!' zegt Johan fel. Opeens schiet hij in de lach. 'Nee, we pikken geen rollen snoep. Maar we pikken het ook niet als je een ander iets voor je laat pikken.'
'Krijgt Niels nu straf?' vraagt Lex zacht.
'Ja', antwoordt Johan ernstig. 'Hij moet twee keer een hele woensdagmiddag komen helpen. Kratten sjouwen, dozen scheuren, de vloer vegen...
Er zijn altijd zoveel karweitjes te doen in een winkel. We hopen dat het helpt. Winkeldiefstal begint vaak in het klein. Maar voordat je het weet, pak je steeds duurdere dingen mee. Jongens, begin er nooit aan!' Dan springt Johan van de glasbak af.
'Ik moet weer aan het werk. Tot ziens!'

Twan en Lex kijken de bedrijfsleider na. Wat een aardige man is dat.
Hij heeft gelijk. Als je eenmaal met pikken begint, is het heel moeilijk om ermee te stoppen.
Opeens schiet Twan overeind. Hij gooit zijn bal omhoog.
'Voetballen?' roept Twan tegen Lex en hij springt van de glasbak af.
'Jij mag de keeper zijn!'